我 的 感 觉 4

[美]康娜莉娅·莫得·斯贝蔓 著　　[美]凯茜·帕金森 绘　　黄雪妍 译　　飞思少儿产品研发中心 监制

我好嫉妒

WHEN I FEEL JEALOUS

电子工业出版社·
Publishing House of Electronics Industry
北京·BEIJING

内 容 简 介

本册书描写了一件件让熊宝宝感到嫉妒的事情：妈妈疼爱妹妹、自己的好朋友跟别人玩、别人得到好东西、同学表现比他好……他说出了心中的感受："嫉妒是一种刺刺的、热热的、讨厌的感觉。"在大人的帮助下，熊宝宝发现嫉妒人人都有，于是他开始寻找让自己不再嫉妒的方法。原来，嫉妒可以用很多的方式排解：可以说出自己的需要，可以去做自己的事，可以加入大家玩耍的行列……换个想法和做法，心情就不一样了，嫉妒的感觉没有了，熊宝宝又高兴地玩去了。

WHEN I FEEL JEALOUS

by Cornelia Maude Spelman and illustrated by Kathy Parkinson

Text copyright © 2003 by Cornelia Maude Spelman

Illustrations copyright © 2003 by Kathy Parkinson

Published by arrangement with Albert Whitman & Company

Simplified Chinese translation copyright © 2007 by Publishing House of Electronics Industry

ALL RIGHTS RESERVED

本书中文简体版专有出版权由Albert Whitman & Company经由博达著作权代理公司授予电子工业出版社，未经许可，不得以任何方式复制或抄袭本书的任何部分。

版权贸易合同登记号 图字：01-2006-7355

图书在版编目（CIP）数据

我好嫉妒／（美）斯贝蔓（Spelman,C.M.）著；黄雪妍译.—北京：电子工业出版社，2007.6
(我的感觉；4)
书名原文：When I Feel Jealous
ISBN 978-7-121-03977-5

I. 我… II.①斯…②黄… III.图画故事－美国－现代 IV.I712.85

中国版本图书馆CIP数据核字（2007）第031945号

责任编辑：郭　晶　李泽才
印　　刷：北京画中画印刷有限公司
装　　订：
出版发行：电子工业出版社
　　　　　北京市海淀区万寿路 173 信箱　邮编　100036
开　　本：889×1 194　1/16　印张：1.75　字数：44.8 千字
印　　次：2010 年 1 月第 14 次印刷
定　　价：63.00 元（全套 7 册）

凡所购买电子工业出版社图书有缺损问题，请向购买书店调换。若书店售缺，请与本社发行部联系，联系及邮购电话：(010) 88254888。

质量投诉请发邮件至 zlts@phei.com.cn，盗版侵权举报请发邮件至 dbqq@phei.com.cn。

服务热线：(010) 88258888。

序 言（一）
——父母、老师和孩子共学管理情绪

《我的感觉》是一套有用、有趣和有内涵的情绪教育丛书。

日常生活中，孩子经常会发生一些情绪的困扰，如不开心、哭泣、发脾气和孤独感等等。他们不会向大人诉说自己的情绪状态，更不能自己化解。因此，家长和老师要知道如何有效地帮助孩子摆脱这些不良情绪，培育他们愉悦、向上、与人相和的积极情绪。这就要学会对情绪的管理。

这套丛书汇集了孩子经常发生的七种情绪——想念亲人、难过、害怕、生气、嫉妒、自信和关心他人。作者逐一将孩子这些难解的情绪放在自然寻常的生活情景中，用彩图和易懂的文字展现出各种情绪的表现特征和相应的处理方式，使孩子形象地掌握调理自己情绪的可行办法。目前，像这样以情绪教育为情节内容的图画书，在我国尚为少见。

在《我好害怕》一册中，告诉成人，在新的处境中，孩子常常会有害怕的情绪，成人要关注他们的这些感觉；告诉孩子谁都会经历这种感觉，无须害怕；大人要在孩子身边，帮助他们度过这种情绪，树立自信心。

在《我好难过》一册中，告诉成人，首先，要教育孩子难过是不可避免的；其次，要和他在一起，听他倾诉为什么难过，并让孩子知道，他不会一直难过下去的。

在《我觉得自己很棒》一册中，告诉成人，要尊重孩子与生俱有的特质，并懂得每个孩子都是独一无二的；要帮助孩子了解大家都不一样，让孩子觉得自己也是很棒的。

在《我好嫉妒》一册中，告诉成人，当孩子发生嫉妒情绪时，让他们向信任的人诉说出来，大人要正视孩子的这种感觉；并告诉孩子每个人都有优点和独特的特点，不要去伤害别人，嫉妒情绪就会渐渐减弱，直至消失。

在《我好生气》一册中，告诉成人，要让孩子学会控制自己的怒气，不要去伤害他人。书中向孩子提供了控制怒气的技巧和办法：成人管好自己的怒气对孩子是最好的榜样。

在《我会关心别人》一册中，提出先要让孩子感受到自己被别人关心的感觉，然后让他想想别人有什么感受，从而懂得自己不愿做的事不要让别人去做，这样才能让孩子养成关心所有人的良好习性。

在《我想念你》一册中，提供了种种成人和孩子可做的事，以用来消解因思念亲人而产生的分离焦虑情绪。例如，给孩子以关怀，提供使孩子喜欢、安心的物品等；亲人与孩子分离的时间不要超过孩子忍受的限度，要按承诺的时间让孩子重逢亲人。

从小培养人的管理情绪的良好习性，有助于健全人格的形成，将受用一生。

本书是写给孩子看的，但对大人也是极有帮助的。大人从书中可以反省自身，抚平情绪，并正确地把握对待孩子的方式。所以，该书家长和老师都值得一读，并与孩子共读。

——梁志燊

北京师范大学教育学院教授

中国老教授协会儿童早期教育专业委员会主任

序 言（二）
——写给家长和老师的话

"嫉妒是一种刺刺的、热热的、讨厌的感觉。"嫉妒是一种普遍而又无法抗拒的感觉——甚至连动物都会嫉妒（养宠物的人可以证实这一点）。这种感觉我们都不喜欢，可每个人都会有。

当我们还是孩子的时候，可能就被告知过嫉妒是"不好"的。也许我们会因为这种"不好"的感觉而感到羞愧。我们要承认这种感觉的存在（不一定非要向我们嫉妒的人承认，但只要自己承认就好），并且想办法克服它。想要教会孩子如何克服嫉妒，首先要克服我们自己的嫉妒感。

嫉妒来源于对自身重要性的质疑——我们还好吗？我们被重视吗？对这些疑问连我们大人都会感到焦虑，而孩子对这些问题更迫切地需要得到肯定的答案，所以他们的感觉也更加强烈。

因此，要想减少嫉妒感，我们可以试着不去和其他孩子比较；不要认为某个孩子是最好的，其他的孩子就都是最差的。我们要看到人与人之间的差别和不同，让孩子意识到自己的重要价值。

如果嫉妒感已经产生，就要正视它的存在。我们可以学着如何去应付它——在不伤害他人的情况下——可以说出自己的感觉，或者告诉信任的人。要有耐心，相信这种感觉最后一定会消失。要提醒孩子，每个人都有自己存在和行为的方式，每个人都是与众不同的，都有自己存在的价值。

——康娜莉娅·莫得·斯贝蔓

有时候，我好嫉妒。

Sometimes I feel jealous.

我好嫉妒，当我觉得我的妈妈更喜欢别人的时候。

I feel jealous when I think my mommy likes someone else better than me.

我好嫉妒，我的朋友常和别人一起玩的时候。

or when my friend plays with someone else more than she plays with me.

我要我的朋友最喜欢我！

I want my friend to like me best!

当别人拥有那些我想要的东西时，我好嫉妒。我也要有！

When someone has something I want, I feel jealous. I want it, too!

在别人能做好那些我特别想做好的事情时，我好嫉妒。那我该怎么办？

I feel jealous when someone is good at something I want to be good at. What about me?

当所有人都关注别人时，我好嫉妒。

When someone else gets all the attention, I feel jealous.

我也想要别人多关注我！！
I want some attention, too.

嫉妒是一种刺刺的、热热的、讨厌的感觉。

我不喜欢嫉妒的感觉，但是……

Jealousy is a prickly, hot, horrible feeling.

I don't like feeling jealous, but——

每个人都有嫉妒的时候。

小孩会嫉妒。

everybody feels jealous sometimes.

Children feel jealous.

大人也会嫉妒。

Grownups feel jealous.

就连狗狗也会嫉妒。

Even pets feel jealous.

嫉妒的时候，其实有法子能让自己好过一些。

可以把嫉妒告诉别人，有人聆听会好一些。

他们会告诉我，其实有时候他们也会嫉妒。

When I feel jealous, there are ways to make myself feel better.

I can tell somebody about my jealousy. It helps when somebody listens.

It helps when they tell me that sometimes they're jealous, too.

嫉妒的时候，我可以告诉别人我想要什么。

我可以说："请和我在一起！"

我需要知道我对他们有多么重要。

When I feel jealous, I can tell somebody what I need.

I can say, "Please be with me!"

I need to know that I am important to them.

如果我告诉他我想要什么的话，他们会注意我说的。

不过，可能还得等一会儿。

If they can, they'll pay attention to me,

but I may have to wait.

有时候，我可能得去做些其他的事，以便缓解嫉妒的情绪。

Sometimes, I might just have to go do something else.

过不了多久，我会感觉情绪好多了。

After a while, I start to feel better.

当别人得到什么好东西时，我也可以为他们高兴。

I can be glad when somebody else gets something nice.

我不再去想别人都拥有什么，或是别人都能干什么。

我去想我该拥有什么，我能干什么。

I stop thinking about what others have or what others can do.

I think about what I have and what I can do.

嫉妒的感觉没有了，我又快乐起来了！

The jealous feeling goes away, and I feel good again.

当嫉妒的时候，我知道我不会总是嫉妒。

When I feel jealous, I know I won't always be jealous!

《我的感觉》丛书，是父母老师的最佳选择

丛 书 说 明

　　学会辨识并处理各种情绪——特别是不愉快或害怕的情绪，和学习其它的知识一样重要。在《我的感觉》丛书中，美国著名儿童心理咨询师康娜莉娅·莫得·斯贝蔓，用简单和抚慰人心的语言，帮助小孩了解与管理自己的感觉，并且让他们懂得以同理心对待别人。

　　本丛书共七册，以小动物为主角，通过简单的文字，色彩丰富、造型生动的图画，分别探触小孩子的七种感觉：**想念**、**害怕**、**难过**、**生气**、**嫉妒**、**关心别人**、**喜爱自己**等。让读者们透过故事，感受那看似微小，却非常实在的情绪，并且用一些形象的文字，如"难过是一种灰灰的、累累的感觉"等，让这些心情具体化。

丛 书 特 色

1. 由美国专业儿童心理咨询师、教育家、作家康娜莉娅·莫得·斯贝蔓撰写。该书获国际上多项图书奖，是中国大陆引进的第一套有系统、有理论基础的情绪教育绘本童书。

2. 温暖的画面，简单而抚慰人心的文字，以故事中孩童的语言，清楚描绘人格教育基础的七种情绪。

3. 在优美动人的故事中，提供每种情绪的来由、感觉及如何自己去处理，引导儿童以简单可行的方法帮助自己。

4. 中英文双语，是幼儿园和小学人格与情绪教育、生命教育课程的最佳辅助教材，非常适合2岁以上儿童与父母、老师共读。

当孩子害怕的时候，大人要帮助他们度过这种情绪。

"难过是一种灰灰的、累累的感觉。"难过会过去的。

要尊重孩子与生具有的特质，让孩子觉得自己很棒。

"别人比我做得好，我好嫉妒。"每个人都有优点和特点，要向别人学习。

"生气表示有些事需要改变，也许就是我。"要管好自己的怒气。

"自己不愿做的事情不要让别人去做。"要养成关心所有人的良好习性。

"我不喜欢想念你的感觉。"亲人与孩子分离的时间不要超过孩子的忍受限度。

反侵权盗版声明

电子工业出版社依法对本作品享有专有出版权。任何未经权利人书面许可，复制、销售或通过信息网络传播本作品的行为；歪曲、篡改、剽窃本作品的行为，均违反《中华人民共和国著作权法》，其行为人应承担相应的民事责任和行政责任，构成犯罪的，将被依法追究刑事责任。

为了维护市场秩序，保护权利人的合法权益，我社将依法查处和打击侵权盗版的单位和个人。欢迎社会各界人士积极举报侵权盗版行为，本社将奖励举报有功人员，并保证举报人的信息不被泄露。

举报电话：（010）88254396；（010）88258888

传　　真：（010）88254397

E - m a i l：dbqq@phei.com.cn

通信地址：北京市万寿路 173 信箱

　　　　　电子工业出版社总编办公室

邮　　编：100036